国家出版基金项目
NATIONAL PUBLICATION FOUNDATION

《三联经典文库》

第二辑

2012年国家出版基金项目

三联经典文库

109

活跃的新西北

田影　编著

生活·讀書·新知 三联书店

图书在版编目(CIP)数据

活跃的新西北 / 田影编著. -- 北京 : 生活·读书·新知三联书店, 2014.1
（三联经典文库第二辑）
ISBN 978-7-108-04645-1

Ⅰ. ①活… Ⅱ. ①田… Ⅲ. ①通讯－作品集－中国－现代 Ⅳ. ①I253

中国版本图书馆CIP数据核字(2013)第246764号

109 活跃的新西北

责任编辑	龚黔兰
封扉设计	蔡立国
责任印制	徐 方
出版发行	生活·讀書·新知 三联书店 (北京市东城区美术馆东街22号)
邮 编	100010
经 销	新华书店
印 刷	北京市松源印刷有限公司
版 次	2014年1月北京第1版 2014年1月北京第1次印刷
开 本	787毫米×1092毫米 1/32 印张 3.875
字 数	50千字
定 价	15.00元

《三联经典文库》出版缘起

适逢生活·读书·新知三联书店八十华诞，为弘扬传统，接续文脉，回报读者，服务社会，我们决定策划出版《三联经典文库》。

1932年7月，生活书店在上海创办，此后，读书出版社和新知书店相继成立。本文库第一辑、第二辑所选图书，来自于这三家出版单位及其分支机构，以及1948年生活·读书·新知三联书店成立后的出版物，始于1932年，截至1951年，两辑各一百种。此为第二辑，涉及政治、经济、社会、军事、思想文化诸领域，涵盖专著、文集、散文、小说、诗歌、传记、报道等体裁，既有直面现实、追求真理、讴歌真善美、抨击假恶丑的原创作品，又有引介世界各国先进文化、传播新知、开启民智的迻译之作，真实记录了那一代知识分子的思考与探索、理想与愿景和对中华民族文化传承与创新所做出的努力与贡献。

本文库所辑入各书，多为名家名作，在版本方面，以初版一印本或经著译编者审定、修订、增订过的版本为首选，因此本文库又具有较为珍贵的版本价值和收藏价值。

本文库还将编选续辑，使之成为恢弘文化工程。诚挚希望读者给予批评和指正，帮助我们完善编选工作，再现三联经典作品之风采。殊为遗憾的是，由于年代久远，一些原著译编者及其后人未能取得联系并奉付稿酬，诚盼版权所有者与我们联系。祈愿三联前辈所创造的精神财富能薪火相传，为中华文化的伟大复兴增光添彩。

《三联经典文库》编辑委员会

2013 年 8 月

凡　例

一、本文库为重排本，由繁体字竖排版改为简体字横排版。

一、以忠实于原作、整旧如旧为编辑原则，对当时使用的专有名词、外文译名，以及民国时期的语言和特色予以保留。

一、原书注释如旧，编者所出的注释，均以“编者注”标明，以示与原书注释的区别。

一、对原书残缺或字迹漫漶之处，以□示代。

一、对繁简文本转换时的“如右”、“见左”一类，对应改为“如上（前）”、“见下（后）”。

一、对原书中各种错讹脱衍之处，直接订正，不再以其他符号标示。

一、对数字、标点符号的用法，在不损害原文语义的情况下，做必要的规范。

一、本文库各书均前插原书书影、原书版权页和文库版“本书出版说明”。

一、本书出版说明的撰写，以客观中立为原则，扼要介绍本书的内容、版本流转、著译编者的情况。

本书出版说明

本书由《西安事变后的陕北》、《陕北种种》、《陕北的抗战动员》（通讯）、《在延安》、《和平，民主，抗战》、《西北特区和红军》、《陕北的工业》、《文艺在陕北》这几篇文章组成，介绍了抗日战争时期有关中国大西北的队伍建设、抗战宣传、工业、文艺等诸多方面的内容：

半殖民地的中国，外在矛盾，大过内在矛盾，因此主张建立对内和平统一、对外团结御侮的"统一的民族战线"；基于此种根本政治立场，共产党乃力谋对国民党之政治妥协，化除彼此间绝对的政治和军事的对立。

中国不是侵略别人，而是保卫自己，因此自卫战要靠持久战来取得胜利；抗战战略上采取持久战，战役上实行歼灭战，作战方针采用运动战。

军事工业相对落后，尚难在战争的开端予敌人以致命的打击，因此抗战的胜利有赖于广大人民的参与；而军事布置应以据点式为宜，以便于以少数兵力钳制多数敌人。

西北边区的文学作品，散布在各部队、各机关、各乡村的报纸和墙报上，这一时期的代表作品有《二万五千里长征记》等；至于戏剧，也像文艺一样在西北角上，随着抗日救亡运动热烈地开展着；边区的文艺和戏剧，有着活泼、轻快、雄壮的作风，具备着大众化、普遍化和深入群众的特点。

本书由自强出版社 1938 年 3 月初版，此次出版即以此为底本。

编著者田影，情况不详。

生活·读书·新知三联书店

2013 年 8 月

自强出版社 1938 年 3 月初版书影

活躍的新西北

編著者　田影

發行所　自强出版社

漢口統一街民權路上首自權坊二號

每册實價二角
外埠酌加郵費

中華民國二十七年三月
初版五〇〇〇册

原书版权页

目次

西安事变后的陕北

长江

西安里面谁都知道“双十二”以后有重要共产党人入西安，甚至于认为“双十二”事件完全是共产党操纵的局面，所以事变后许多人恐怕蒋委员长被挟往陕北，则情形将更棘手。总之，稍为有几分政治素养的人，对于陕、甘大局，比较看重共产党在其中的关联。

记者于事变后奉社命从绥远到兰州，因已确知周恩来在西安，而且知道西安附近，曾到过彭德怀、贺龙等的部队，我很想借此机会，会会这班神秘的人物，一探政治究竟。

二月二日到西安，被突发的事变关在城门外。三日进城，一般人风声鹤唳都在怀疑共产党，我也有几分相信。但是西安的朋友，真正见过周恩来的，还是不多。

四日午后经朋友的介绍，我们在杨虎城公馆看到周恩来先生，他有一双精神而朴质的眼睛，黑而粗的须发，现在虽然已经剃得很光，他的皮肤中所藏浓黑的发根，还清晰的表露在外面。穿的布灰棉衣，士兵式的小皮带，脚缠绑腿，口音夹杂着长江流域各省的土音，如果照普通谈话的口音判断，很有点像江西人。

因为旁的事情，我们当天不能作详尽的谈话，我们约到第二日作竟日之长谈。谈话的题材，当然首先是关于西安事变。

陕北红军问题之由军事的走向政治的，还是中央开的端，二十四年冬中委 ××，奉命由西安飞肤施转入红军区域接洽，即为观察红军之动向者。那时肤施前线为东北军王以哲部，此事遂壮东北军与红军自由接洽之胆。王以哲首先与红军干部发生关系。二十五年夏季，张学良乃与周恩来在肤施正式见面，讨论张所提出之两大问题：第一，蒋委员长与抗日关系问题；第二，用法西斯方法谋中国之统一问题。周对第二点认为难能成立。因为无论名义如何，中国在实质上难有法西斯政治之存在。至于前一点，共产党由土地革命的阶级斗争，转到各党派联合抗日的民族革命，已经变了一步。但是那时共产党的“抗日”，还是“反蒋抗日”，即要能“抗日”，必先“反蒋”。即不推翻蒋之统治，无法抗日。张周见面之后，张之见解，以为“抗日”非“拥蒋”不可，不“拥蒋”，无法抗日。而对蒋委员长之艰难计划与准备，就其所知者以告周，颇使周发生相当影响。

共产党在陕北之中央委员，已不足法定之全体会议人数，临时最高之决定机关为中央政治局。中央政治局得到周恩来之报告，引起极大之论辩，结果，参考张学良所提供之新材料，与将国内外大势重加研究的结果，认为有转而“联蒋”进至“拥蒋”之必要。

这样转变的政治路线，就是“统一的民族战线”，对内主张和平统一，对外主张团结御侮。

基于此种根本政治立场，共产党乃力谋对国民党之政治妥协，化除彼此间绝对的政治和军事的对立。张学良与周恩来正式接洽之后，共产党意中希望以张学良为媒介，以与蒋委员长协商，谁知张学良之政治技术运用未能灵巧，终于爆发了出人意外的“双十二”事变。

张、杨对于“双十二”事变，认为是“兵谏”，一部分青年群众认之为“革命”，谓为抗日的第一步。共产党当“双十二”事变发生时，中央机关还在陕北保安，他们得到事变的消息许多人最初一秒钟的决定，是感情的报复主义，主张派人入西安，速蒋之死。然而接着是理智克服了感情，认为张、杨如此作法，殊欠妥当，盖“双十二”事变，既非如帝俄时代群众革命之打倒沙皇尼古拉，又非类似滑铁卢战争之俘虏拿破仑，此仅以一种不光明不道德之“军事阴谋”，劫持领袖，第一，与中国当前团结御侮的需要相反；第二，构成今日蒋委员长之政治理论、政治组织和一百余万之中央军，仍然健在。则此事之前途，只有发生更大规模更长久之内战，对于国内和平统一，将致背道而驰，愈跑愈远，但是既然木已成舟，理论上的问题已经无用，当速谋补救的办法。周恩来系于十二月十六日由肤施乘张之波音机到西安，即向张陈释蒋之必要，同时更亲自与羁陕中央要员见面，作各种政治协商。

十二月二十五日蒋突在张陪送之下，飞出西安。许多青年群众，突闻此事，大为震动。比较消息灵通一点的少壮军人，非常不满意周恩来这种作法。

张同蒋到京之后，即未西返。东北军少壮派之感情，极度不安，又闻张学良被审消息，群情更哗。而和平初步办法，已商有成议，周恩来为主张接受和平条件最力之人。“双十二”事变，打死王以哲之后，周自己似亦因此不得不移住作为临时租界的杨虎城公馆。

关于第三国际对于中国共产党转变，采何种态度问题，周恩来谓自第六次大会以后，第三国际曾决议各国共产党应注意各该国之民族性与地方性，七次大会以来，此事更无问题。

至于若干人主张之“立即抗日”与“反准备论”，周谓为皮毛之见。无计划的、无准备的对日作战，是自取覆败。不过，准备应在对内不战争而在和平统一条件之下，始有其意义。

他说共产党此时之政治目标，在争取党的自由，希望不至于再被任意逮捕，政治上希望慢慢走上民主的道路，则共产党放弃反对国民政府的武装暴动，取消苏维埃，同时红军取消名称，并服从国民政府军事委员会的领导。

他们对于张学良个人，认为他是非常聪明与勇敢，政治感觉异常敏捷，可惜经验不够，弄出“双十二”这样的大乱子来。

因周恩来先生的介绍，到西安新城后面上贤庄从前一位德国牙科医生的诊疗所去看叶剑英先生。无疑的，这是一个共产党当时在西安的半公开机关，仅仅一层的西式洋房，大门进去，有一个小小天井，正屋里有许多青年人紧张地工作着，有的从这个屋，走进那个屋，有的聚在一块谈话，有的很忙碌的操纵无线电，这部无线电机似乎专为秘密工作用的，天线没有显在外面，同时发报声音很小。这群人的服装，非常随便，仪貌上除了热烈的表情外，没有什么严格的礼节。

“剑英”！周恩来向着一位正在纷忙的人招手。

随着周恩来的招呼声，一位三十左右，精干结实，相当瘦长，穿学生装，戴八角帽的汉子，和我一齐进入一间小办公室里。

叶剑英的风度，有几分西洋人味道，广东东江人的口音，还多少存留在口边。民国十六年广州暴动的基干是那时张发奎先生的教导团，而叶剑英是张发奎最相信的参谋长，同时亦为策划与指挥广州暴动的最中心人物。张发奎先生事前对叶毫不疑惑，依为腹心，则叶之政治军事技巧，不能不称为相当老练。

“双十二”之前，叶曾应张学良之邀，秘密来西安，在张学良公馆附近，与张研究东北军之改造问题，叶对于东北军之政训工作提出意见，他之说法，很使张学良受影响。

他那时认为政治的统一战线成功之后，共产党对红军之政治领导，仍然存在。因为如果开始了抗日战争，军队政治工作应有加强的必要。

“双十二”以后，从太原来陕的张慕陶，极力反对周恩来之和平妥协办法，他主张维持“抗日联军”，召开和平会议。周恩来为此和他们辩论很久，结果是各行其是。二月二日事变之发生，在思想上很受他的影响。

对于是否即刻对外战争问题，周恩来谓红军不愿过早挑动对外战争，因此红军入山西之后，虽倡“过境抗日”之口号，而并未全力出绥远，原因即乎此。

途中所见西安政局，既已开展，记者又奉命入陕北。二月六日在博古先生和罗瑞卿先生陪送之下，开车直驶肤施（延安）。两辆载重车，载些鞋子、衣服等，我和博古车上，装了一车的《左派幼稚病》小册子，最重要的是从紫金山那面飞来的几十万法币，同行有西安新闻界和学联的朋友。

那天城内外的东北军和陕军都在纷乱的撤退，汽车、大车、牛车、毛驴，什么交通工具都有。而运送的东西则从军火、军实至破铁炉子也全带上，真是彻底的搬家，秩序异常零乱，大概撤退命令太仓促一点。陕变主力的特务团士兵，更是无精打采的退出西安，低着头，倒拿着枪，好像不胜颓丧的样子。

咸阳至三原途中，遇到许多徐向前旧部，他们是被胡宗南、关麟征腰击而没有渡过黄河的队伍，现归萧克率领着。他们多一半是四川人，听不懂博古的话，我还作了一次翻译。

西安三原间，要经过三个渡口：第一是渭水，有桥可渡。第二是泾水，有船可渡。第三是泾惠渠，那时只能涉水而过。路上往来的车辆很多，因为撤兵的缘故。

三原附近，零星的住些红军，黑军衣黑军帽，帽上有红星，是他们外形的特点，他们多半是年青活泼的人。普通军队的形式军容，看来他们很不注意。

那时三原城，成了小西安，许多西安原有的团体，如全国救国会、西北救国会等都移到三原来了。许多青年都纷乱的向渭河北岸三原一带跑，他们对于中央军入西安有些过分的恐惧。

因为等保护的部队，恐怕路上遇到土匪，费去很多时间。当晚住三原，大饼和开水解决了晚饭，一间小客店的小屋土炕上还睡着我和博古两个人。

傍晚在三原街上还遇到叶剑英夫妇，他是到附近二十里云阳地方的彭德怀那里去，穿着学生服安闲在街上走着，谁也难看出他是作战异常果断的旧任红军参谋长。

我们坐的那辆车子，是红军自己买的。在西安事变前十个月，已经挂着王以哲军用车牌子，在西安延安间往来运输，西北之必然会出乱子，已不是西安事变前短时期之酝酿了。

博古那时谈红军将来之地位，谓名称编制更易之外，原有领导干部应维旧状，政治委员可以由中央派去。因为政治委员的制度，来自苏联，苏联革命初期，红军缺乏军事人才，故不得不利用有军事技术之旧军人，而用忠实党员为政委，居监军的地位。中国红军之军事干部皆为党员，故不必要政委也。

七日起身，各人自己收拾行李，不出十五分钟，博古的行李已自己弄好了，这是长途行军练成的，汽车夫反而落在后面。

同店有位六十八岁的老人，他要去当红军，他无论如何吃不消的，理由是他在西安参加过救国会，他听说恐怕将来“不得了”！

三原北去有许多台状地带，九十里至耀县，耀县城外有一座新式大木桥，桥基坚固，桥身宽敞，有些重要国营公路还不及它，陕省公路建设当局，至可敬佩。

县城里有许多红四方面军的人，他们过半是单裤，最多不过穿棉衣，问他们，答案是：“多了不好跑路。”我们穿双层皮的人，完全是平日少锻炼之功了。

城内商业照样维持，原因是红军对于社会秩序，已采取维持现状的态度，他们行动的事实，已在商民中建立信仰。

三原到耀县从前架有轻便铁道，供陕北剿匪军运输之用，现在和平解决后，这条铁道是无的放矢了。

同官以上，进入山道，所谓“山北”区域，从此开始，陕北和关中就在这里分界。同官至宜君完全在山沟里走，有好几十座水门汀桥，修得整齐美观，皆陕省建设之成绩，沟尽，山行不远，即到宜君。

不妙的是在不到宜君十里左右油房台上把车坏了一辆。只好放下些东西，把人先用一车带走。

坏车处，小山村老妪出来关照我们："诸位老爷以后过车，请留心我的孩子，不要把他压着了！"她不问我们是如何来历人，专是想到她自己的事，专为她自己打算。一切皆为自己打算，这是人生和宇宙的大法则的流露，也就是"约法三章"和"为民请命"这一套所以成功的原因。

宜君位于山上，小得可怜，开水无地喝，而鸦片则到处皆有。县政府又在县城山头上，这完全是古代战争城堡的修筑法，不合于经济生活的原则。

七十里至中部县，穿城不过半里，和宜君有难兄难弟之分。宜中两县都在破碎的黄土高原之中，陕北贫瘠本相，至此一目了然。

车到洛河渡口名交口河地方，大冰冲坏了便桥，过不去，而修桥亦非短时可能。我们一面派人至洛川打电话到肤施要车，一面寻附近村庄过夜。破土窑洞里，又成了高谈政治的地方。

红军士兵的生活，仍然比官长要苦些，不过和旁的军队，程度有差别，将来军费充足后，相差的程度怎样，还待事实的表现。

涉水过洛川，八日住洛川。县城在高原上，张学良指挥剿匪，曾坐镇于此，今则红星帽士兵随处可见。红军初到陕北时，不懂方言习惯，他们夜间驻营，总向民间借门板等作卧具，所以常向妇女说：“老板娘！你的板子借我睡一下。”她们必起异常、羞惧不安，答应一个“不”字，当然这边再行说明理由的继续要求；“板子睡了退回你还是好的！没有关系！”而她们所得的回复是：“我怕！”原来陕北所谓“板子”是指女人特有的生理部分，当然她们不能随便借给人睡了！

红军的政治工作相当成功，送我们的士兵，谁也可以讲一篇大道理，“帝国主义”、“殖民地”、“革命”……无比其多的新名词，他们讲得无不顺理成章，俨然受过多年政治教育。

这些年轻的红军官兵，说起打仗完全儿戏，没有紧张意味。好像中学生谈赛足球，李惠堂那一脚踢得如何有劲，叶北华如何传了一个好球。少年和青年人的精力充足，只要燃起政治的火焰，他们的战斗力是无限充盈的。

在洛川县政府里过夜，木炭余烟，把我昏迷了过去。我心里明白，只是动不得，说不出话来，而且呼吸急促得快要不能继续。我感到危险，拼命挣扎，好容易滚下了床，开了门，爬到室外雪地呼吸冷空气，几分钟后，才恢复了清宁，几乎走上丁文江先生的老路！个人生命实在容易毁灭，不及时做些事，很快就告结束了。

晚间曾大雪，九日赴肤施途中，只见大雪盖满山谷。汽车经行破旧的黄土高原，上下三个峻急的山坡，不是机器完好的汽车万万上不去的。

耀县城外汽车站旁，有飘红旗的红军联络站，他们相互间“同志”、“同志”的称呼，态度非常亲切。

耀县北行不远，公路旁有泉水涌出，结冰盖地面，下临高崖，滑溜可怕，车行其上，直赌命运。此后道路，乃顺洛河东岸北进，以趋甘泉。河东西山头上尽为碉堡。村庄墙院亦已完全碉堡化，皆东北军剿匪时之陈迹，而今大有人去楼空之感矣。

甘泉县不及内地中等村庄之富厚，城内房屋凋零，人家无几，县长无多少事可做。盖耀县以北，已成苏区，田地皆经分过，另有苏维埃政府管理，县府连钱粮等亦收不到，县府经费，全恃省府津贴维持。

午尖于甘泉红军联络站，腹饥甚，面条煮好，皆虎咽狼吞。

甘泉是过去剿匪大战之场，东北军某团长被擒的榆林桥，何立中阵亡的劳山，红军中人皆为我们指手画脚而道之。

甘泉再北去肤施，路与洛河分离，另遵谷道进，谷中平日有四川人利用山中泉水种稻。谷尽，过富有森林之山峡，出峡，顺北谷下，沿途人家稀少，土地荒芜，村庄残破，无一不象征大兵之后者。沿途标语，极为划一，有“统一战线”标语，有“一致抗日”标语，有“改良工农生活”标语，最多不过十几种。绝无反国民党，反国民政府及反对蒋委员长标语，打倒“土豪劣绅”、“平分土地”的标语也没有了。

将至肤施，遇到近百的徒手红军，系下乡打柴作燃料者。服装残破，单裤居多，十四五岁小孩不少，他们在路上到处打打闹闹开玩笑。

抵肤施，先至城外外交部接洽，旋入城，满街是黑衣红星青年人，服装较外间为完好。商业亦较热闹。下车至红军大学休息。

红大，那时已改为“抗日军政大学”。校里首先遇到的是林彪先生，现任红大校长，对我要算地主之地主了。他是三十岁刚过不远的人，穿一件灰布棉大衣，中等身材，冬瓜脸，两眼闪烁有力，说话声音沉着而不多言。不过，无论意见与用词上，他的立场很坚决，一点不放松。他领我去看他们学生的活动，有些在打乒乓，有些在打篮球，教官们和他们混在一起，没有人介绍，很难分别，因为服装都是一样的不好。寝室内务，大不讲究，官长学生之间，也无多礼节，他说他们不赞成形式主义的。自然他们是以苏联红军作蓝本，而苏联红军的兵学原则，是法国拿破仑的遗留，重自由，重活泼。和德国兵学派的重形式者，完全相反。日本学德国，中国有些部分又是学的日本。红大的教育方针，是自动多于被动，讨论多于上课，室外活动很注意，每日上课时间，最多不过三四时。

其次和我见面的是宣传部的吴亮平先生，他小小个子，清秀的面庞，无论他吃过多少苦头，还保留着书生面目。他的外国语文很漂亮，苏区对外英语广播，就是他担任。他说话是清晰、明白、有系统，并有平和而坚定的见解。美国记者施诺（Snow）入陕北，就是他给毛泽东作翻译。他是一位漂亮的宣传家。

随后廖承志来了，这是廖仲恺先生的哲嗣，何香凝先生的痛爱者，他会好几种外国文字，会画，会唱，会写，会交际，而且会吃苦，这是红军中多才多艺的人物。《红色中华日报》现改为《新中华日报》的就是他主编。

刘伯承一会来了，身体看来很瘦，血色也不好，四川人有这样高的个子，要算“高”等人物。他之有名，不在到了红军以后，西南一带，对“刘瞎子”的威风，很少人不知道的。他作战打坏了一只眼，身上受过九次枪伤，流血过多，所以看起来外表不很健康，然而他的精神很好，大渡河也是他为先锋。行军时，飞机炸弹还光顾了他一次，幸而不厉害。他在莫斯科曾经令佛洛西诺夫敬佩过的。“红军总参谋长”是每个红色战斗员都知道厉害的。

天已黄昏了，屋内地上燃着火，再进来一位老者和中年汉子模样的人，前者是林祖涵先生，后者是朱德先生，林先生真是老而益壮，朱德已有五十多几了，而面目仅如四十岁人之健壮。他说他每天打篮球，说话完全四川音。“半生军阀，半生红军”，他自己笑着自道。他说红军作战没有什么秘诀，只是政治认识透到每个战士，和群众基础工作得到许多便利。

悄然出现的是丁玲女士，我们是初见，而不想到见面在这样地方。她打算在陕北搜集些材料写东西，将来当有些特别的东西出现。

现任中共总书记张闻天先生（洛甫）戴着不深的近视眼镜，出现于人群中，他的谈风轻松精利，不似曾过万重山者。

毛泽东先生，许多人想象他不知是如何的怪杰，谁知他是书生一表，儒雅温和，走路像诸葛亮“山人”的派头，而谈吐之持重与音调，又类三家村学究，面目上没有特别“毛”的地方，只是头发稍为长一点。

同毛泽东先生进屋的，还有一位年近古稀的徐特立先生，他公然从江西走到陕北，这是了不得的事件。

围炉坐着大圈，谈话的火线，打得很紧，以后中国的政争，最好也用这种方式，大家不要动武，免得老百姓遭殃。关于和平统一后之党和军队问题，那时他们的意见，还是主张维持原有的组织和系统。

那晚的谯会，也有海参之类，大概是招待“布尔乔亚”的，他们平时吃这些东西，恐怕太不易找到了。谯会中，只有张国焘先生没有来，说是病了。饭后，我特去看他因为我次晨要走，不看他一次，觉得很抱歉。他现在是红军总政治委员，我们去时，他果然已经睡了，他立刻起身，咳嗽很凶，他的风格带严肃性、深沉性，这是另一作风。

最后赴毛泽东窑洞作竟夜之谈。到时已夜十时。

他那个窑洞内，除了一个大炕之外，还有一张木椅，一张桌子，一条木凳，一盆木炭。木桌上放了许多纸条，还有经济学和哲学书籍，桌上燃起油烛。他对于窑洞发生了感情，因为它冬暖夏凉，适宜居住。他说薛仁贵回窑回的是这种窑，不是南方的砖窑。他因为过去行军作战关系，作计划下命令，都是夜间，于是白天在卧式轿里睡觉，夜间才紧张的做事，弄成和我们新闻编辑一样的日夜颠倒。他用脑过度，脑血管膨胀，经常兴奋，神经受点影响不容易睡着。如果在行军时身体有劳动机会，睡觉可以好些。他平常很爱读书，外间舆论的趋势，他很清楚的和我谈论。

他最喜欢谈战略，他在红大教战略一科。说到战略问题，精神特别好了起来。他说五次围剿中他们失败在不应当广昌大决战，不应和陈诚先生指挥的主力硬拼，应当暂时放弃苏区，分红军为四路，猛出杭州、苏州、南京、芜湖四点，施以佯攻，以诱动江西兵力，然后择弱点一战，胜而后回江西，再突破弱的方面，则苏区可以保全，不得已放弃江西之后，最初的目的地是湘西，并不敢预定说能到遥远的西北来，先命萧克去探路，只想从湘西凭借贺龙偷渡长江的技术，从三峡区域，北过长江，再图发展。谁知追队太紧，湘西不能立足，乃想图贵州，贵州四面受敌，而且太穷，乃转而想从四川西南转入川西北之松潘一带，暂驻以观形势。土城一败，逼得走云南川边。辛辛苦苦到了川西北，乃是蛮荒千里，不宜居人，且松潘要地已入胡宗南手，不得已始出甘肃到陕北。他们入山西是政治的目的，不是军事目的，中央军那时如果不自东压迫，他们将割汾河流域沃野，一面补充自己，一面激动全国对外空气，徐海东之由陕南经陇东入陕北，乃偶然作成中央红军之向导。并非如萧克之有预定计划。至于红军大会合于会宁、静宁、海原一带之时，进攻目的在宁夏，西连甘凉、萧州，确立西北根据地，徐向前过黄河，意即在此。“双十二”以后，政治形势变动，这些都用不着了。

他以为共产党的要求，希望中国走上宪政民主之路，以民主求统一求和平。和平统一之后，始可以言抗日。故为实现民主政治，共产党当可放弃土地革命、苏维埃和红军的名义。中国将来当然会成为资产阶级的民主政治，但是共产党不放弃工农生活之改善运动。这当然是共产党爱国主义的新转变。有人反对共产党谈爱国主义，他以为是不彻底懂得马克思列宁主义。马列主义是反帝国主义的，在半殖民地的国家提倡爱国主义，本质上就是反帝国主义的。他们停止阶级斗争的原因，是因为半殖民地的中国，外在矛盾，大过内在矛盾，所以缩小内在矛盾，先解决外在矛盾。

陕北种种

丽亚

三原是到陕北必经之路，是十七路军驻防的地方。由此往北，耀县、同官、宜君、中部、洛川、甘泉等地都由十七路军和在陕北的军队担任防务。因为常常在一个城里同时有这两支军队，所以这些地方通称之曰“统一战线区”。

三原是陕西最大的县城之一，于右任先生生在这里，杨虎城也常到此地。市面相当的繁荣。我们在这里拜访了一个机关，那地方叫作联络站。

正好遇到三位刚从云阳来的军士，他们都很客气，很热心的招待我们，说离三原二十里的云阳镇，彭德怀便在那里。

没有离开三原以前，让我再说些关于三原的见闻吧。那个联络站位在一个很僻静的角落里，没有挂着什么牌子；房子很简单。联络站是一种对外交通机关，从此往北的各县城皆有，来往的汽车都从那里经过。此地的负责人来自福建汀州，农民出身。他详细的指示我沿途的情形与在陕北的军队的生活，不时有街上的十七路军士兵进来听他讲话，他们已经变成很好的邻居。

三原的食物极贵，而且做的很坏；馒头是主要的食品，水总是混浊的。我休息的旅舍，住着兵，住着各处往陕北去的人，同时也是妓女的下处。妓女成了革命者的邻居，时时用眼色勾搭着，却是没有人来理会她们。

坐了一辆洋车离开三原城，心里被各种新印象缠绕着。沿路看的是破落的土城，穴居的宅，和生长得不好的麦田。约有两点钟功夫到了云阳。

街上挤满了人，叫唤的声音闹成一片，原来正开庙会。那边不限制人民宗教的活动，这次庙会演了十多天的大戏，二三十里内的居民都赶来看热闹，他们就利用这机会作宣传与教育的工作。

到了总政治部，由一个山西人，出来招待，他说杨尚昆主任没在家。

秘书长也出去了，我便请他领我到各处去参观。

这里满墙涂着标语，“收复东北失地”、“打倒日本帝国主义”的标语最多。参观一个合作社，货品很多，承办一切用品。许多军士在街上自由行走，随便的携着枪，有的在树下与农民谈话，有的打篮球或网球，一个部队正从街上经过，大家都跑出来看。他们的衣服很不整齐，黑色、蓝色、灰色、绿色，样样都有；年龄也不齐，有的非常小。他们一路唱着“锄头歌”过去。我问一个农民对于那边的军士的印象如何，他说军队刚一到来，都吓跑了，后来听说没有杀人放火的事情发生，便都陆续回来了。对于这个军队发生非常的兴趣，最奇怪的是找不到一个军官，而竟能有那样的纪律。

拜访了姓陆的宣传部长，约好明天见彭德怀。

记者同彭德怀谈了一个下午和一个晚上。这位以善战著名的人物看起来很像普通的农民，随便的在街上走着，同士兵问询日常的生活，用手拍着他们的肩膀，显出一种老叔父的样子。我发现士兵们对他并不怎样恭敬或畏惧，但是彼此间却有一种家庭似的爱流露着。

他首先提出现在中国最大的与基本的矛盾不是资产阶级与无产阶级的矛盾，而是日本与中国的矛盾。日本疯狂的进攻威胁了整个中华民族的生存，所以他们提出了一致抗日的要求。他们，在西安事变中坚持和平主张。他说，“西安事变是两种可能的前途，是中国生死的关键；一种前途是开始发动抗日战争；另外一种前途是引起大规模的国内混战，造成日本进攻中国的顺利条件。我们是争取第一个前途，敌人则是争取第二个前途；因为他们无时不在挑拨中国内战，借以达到以华制华，灭亡中国的目的。”

彭加重了语气继续说道，“因为和平路线的成功，日本不但挑拨的政策失败了，同时反增加了他们国内的矛盾。广田内阁的倒台，政党与军部的冲突，林内阁的摆摇不定，便是这种表现。日本的统治者也承认他们的政策失败，不得不改变对华政策，这是我们的胜利。”

“还有”，彭停顿一下说道，“我们主张的是民族统一战线，不是人民战线，与西班牙不同。”

谈到这里，暂停一下，我们一同去吃晚饭。

桌子上放了一盏煤油灯，大家团团的坐下。宣传部长陆定一和杨尚昆的老婆李伯钊都来参加谈话。李伯钊是个很有趣的女党员，以后我还要提到她。

“中国适合哪一种政治制度呢？”我问。

彭回答道，“为了巩固和平，为了贯彻统一，为了抗日胜利，必须实行民主政治；抗日没有广大的民众来参加是不能成功的。如今中国处在生死存亡的关头，我们要抓紧民众解放运动，民众要起来作要求民主的运动，同时我们要在抗日运动中争取民主，在争取民主中求抗日，二者是关联的，不能机械的分开。”

在抗日问题，彭说道，“我们要在最短期间完成对日作战的准备。东三省是有相当建设的，被日本拿去了，河北也有很好的建设，被日本统制了。我们是要开足马力，不放松一分钟，动员全国人民作政治的军事的准备。”

于是我们约好次早谈中日直接作战时的战术战略问题。

今天是“五一节”，十二点有庆祝会，我得赶快结束同彭德怀的谈话，这次我们谈的是对日的战略问题。

彭说，“许多人对于战胜日本的战略问题非常关心。如果这个问题不解决，会减少大家对于打胜日本的信心。抗日主要的问题是政治问题，战略与政治是关联的。

我仅就战略上，贡献一点我自己意见。”彭于是首先提纲挈领的说道，“在战略上我们应该采取持久战，在战役上我们赞成速决的歼灭战，作战方针要用一种运动战。为什么呢？因为中国不是侵略别人，而是保卫自己，自卫战要靠持久来取得胜利。在军事工业上，中国比日本落后，不能在战争的开端予敌人以致命的打击，我们的胜利，有赖于广大人民的参加抗战。一切人民都是日本帝国主义的敌人，但这些人民必须在战争的过程中组织起来，动员起来。战争的初期中国或者会遭遇些不利，但情形会一天一天的好起来。中国军队受人民的拥护。与日本军队对一般人民的关系不同。有些人没有看见中国人民的存在。作战方针是一种运动战，但并不是避一切正规的阵地战。我们的军事布置应该是据点式的，而不是线式的，因为线式很容易被打破。以少数兵力钳制多数敌人，乃据点式的好处。在战役上我们主张用速决的歼灭战，因为这样可以减少敌人近代兵器的作用，使飞机、坦克车、毒气的效能不能充分的发挥，而我们则用疾雷迅风的手段，使敌人一点没有戒备，予以奇袭。我们的消息灵通，敌人的动作我们都知道。他们却没有这种便利。我们熟悉地形，可以优势的兵力击败敌人劣势的兵力，这种歼灭战可以得到敌人的兵器，补充我们的弹药。打胜了几次之后，敌人不敢再分散，就集中起来，我们这样可以封锁他们，围困他们，这种围困是一种战略上的围困，使敌人消耗力量，使他们没有办法。同时我们在周围组织群众，动员群众封锁他们，扰乱他们，袭击他们，断绝他们的交通，使其疲于奔命。敌人到处被围困，救援的军队也受袭击，被消灭。使其前无进路，后无援兵，弄得进退维谷，假如敌人不动，定将疲惫不堪，日夜不安，随着时间的延长，愈发增加困难。但是最大的问题还是动员群众，我们之所以要求民主就是为了抗日的胜利。只有实现民主才能使广大的群众参加抗日战争。”

讲到这里，外面喇叭与唱歌的声音大作，已经是开会的时候了。我便一齐前往参观。

快十二点了。各地来的武装农民，学生部队还不断地向一个空场上流，一切种类的武器——长枪、大刀、鸟枪、新式的步枪乃至木棍都亮出来了。每人手里都拿着纸作的小旗，上面写着标语。有的农民是全家来。他们坐着用牛或驴子拉的车，妇人和小孩都穿上他们最好的衣服。这是一个盛会！

空场上搭好了司令台，同时也是戏台和讲演台。场的最后方站立着成列的军士，前边都是群众。保卫团和小学生拿来的青天白日旗在飘扬。今天是“五一节”，但是所有的口号标语，却没有反对资本家或打倒地主阶级的，有的尽是抗日与收复失地的。大会指挥是一个朝鲜人，他很耐心地把没有秩序的群众安排好了，于是，在又一阵军乐后，便正式宣布开会了。

先是彭德怀演讲。他介绍了“五一节”的历史之后，很快地便把话头转到抗日上。每逢说到痛切之处，台上便有人领导呼抗日的口号，台下的军士也都举起了拳头高呼着。此处我必须提出的，就是有许多农民群众并不热烈的呼口号，有的竟在那里不开口。我不晓得过去在执行土地政策时，是否也是这种情形。据后来他们对我解释，说这种现象是因为他们到这里不久，对群众的教育组织工作还有（待）深入。一般农民因为没有直接受过日本的压迫，还没有彻底明了国家存亡与他们个人生活的关系，所以还需要一个长期间的教育工作。大会另外的“改善工人生活”、“救济灾民”、“废除苛捐杂税”、“减租减税”这些口号，在抗日统一战线上是有实际意义的，因为只有改善人民生活，才能更广泛的动员群众到抗日救亡斗争里来。

天气很坏，雨吹着沙尘满场飞扬，继起演讲的是个军队代表。后来又有农民、工人、小学生和三原救国会代表的演讲。讲演完毕之后是唱救亡歌曲，由军士分队的唱。最后是演剧，记者因为要去参观营房，未等散会便离开了。

军队都借住在农民家里，但是多半选择那些不用的房子以不妨碍人民的日常生活，而且这些还要经过人民的许可。据我同许多农民谈话的结论，知道他们间的关系保持得很好。

我们参观了三四处营房，物质的设备当然很简单，但是布置得却很有秩序。每个人都有两张毡子，墙壁上挂着自己用的碗、手巾、习字本，另外的地方放着枪架子。每个连队都辟出一间或两间屋子作俱乐部。那是军士文化娱乐生活的中心，也是党支部与教室的所在，通常都有——球台子、各种牌棋、报纸和书籍，墙上悬着各种挂图、表格、标语、布告以及壁报。其组织分军事政治、文化娱乐、经济协助、卫生等委员会，而由主任一人负总责。另外有墙报委员会、系党支部的机关。兹将各委员会的工作分述如下：

（一）军事政治委员会——指导军士在课外学习军事政治科目，组织军事讨论组与政治讨论组，加强军士的政治自觉，提高军士的军事知识。（二）文化娱乐委员会——组织唱歌队、识字班、剧团、读报组，领导军士讨论时局问题，提倡体育、娱乐及各种竞赛。（三）经济协助委员会——注意经济检查，改善给养，号召与发动节省经费，帮助指导员检查与保管武器及进行筹款等事。（四）卫生委员会——领导全团卫生工作，注意个人卫生与公共卫生，发动检查卫生工作。

这种组织不但在运动里有，在所有大小机关乃至学校工场里也都普遍的设立；而且各处都有自己的壁报，成为他们教育群众一种很重要的工具。壁报的内容包括很广，有的分成许多栏，如新闻、论说、党团的生活、军事政治的学习与勤务、生活批评、漫画、故事、谜语、标语等，稿子都是由作者自己抄写的，贴在一大块纸上，中间再加上花边或装饰上彩纸。它是党支部影响群众的机关，同时也是大家的园地。

所有的俱乐部都充满着人，在那里热心的念书、看报、打乒乓，或是将棋。他们脸上都显着一种愉快的样子，好像些中学校的学生。

他们的士兵叫“战斗员”或“战士”，长官叫“指挥员”。在一切外表上，看不出谁是战斗员，谁是指挥员。至于生活的待遇，也是一样。

一九三四年十月开始了万里的跋涉，当时整整有三十名妇女参加，她们虽然一路经过若干艰难危险，穿过七八个省份，走了二万五千里，越过无数高山大河，但是竟没有一个人死亡，原来身体不好的反转好起来，现在都平安地到了陕北。

李伯钊说，她们要作一本小说，起名就叫《三十个》，来纪念这一队共患难的战友。这三十个女人，她们那种艰苦奋斗的生活，确实与今日沉沦在都市享乐生活中的妇女迥异。李伯钊把她们的姓名一一告诉我，在这里我把它列出来：刘英（洛甫妻）、陈慧清（邓发妻）、刘群仙（博古妻）、危拱之（叶剑英妻）、危秀英、李伯钊（杨尚昆妻）、蔡畅、李建贞、金维映、贺子珍（毛泽东妻）、廖施光、钱希均、韩世英、邓颖超（周恩来妻）、周月华、廖月华、阿香、吴胡莲、王乾元、吴仲莲、邓六金、谢小眉、钟玉林、刘彩香、郑玉、杨厚增、李小江、李建华、康克清（朱德妻）、丘一涵。

这些女人来自不同的省份，出身也不同。农工成分占多数，可是都结婚了。老婆为“苏区要人”在私生活方面唯一的“奢侈”，但也并非限制一般人结婚，而且“要人”也不完全讨老婆。彭德怀已经打了半生的光棍，最近哄传他和丁玲女士恋爱，但他绝对否认。

住在云阳镇的妇女干部只有李伯钊，今天“五一节”，陈慧清从附近的乡村赶来。

这两个不同型的女党员，一个出身产业工人，一个出身知识阶级。

李伯钊讲，她是四川重庆人，父亲作过县知事，是老同盟会员。她小时在四川读书，中学时就受了革命的影响，尤其是五卅运动的刺激。张闻天（洛甫）、恽代英是当时她的教师，从他们那里她接受了新学说。一九二五（年）到上海做青年工人的工作，北伐到了武汉。准备上海暴动未成而她便被捕了。出狱后，她被派去莫斯科，入中山大学读书，一直住了六年，并在那里同杨尚昆结婚。一九三〇年回国，一到哈尔滨又被捕起来。释放后回到上海，入烟草工厂活动。继在瑞金《红色中华报》作编辑，以后又与危拱之合办高尔基戏剧学校。一直到一九三四年十月，参加长征，入西康曾三过草地，有一次险些淹死。她现在仍然从事戏剧工作，曾写过很多剧本。

陈慧清今年二十八岁了，生在香港，家里很贫苦：父亲是个金属机器工人；还有个妹妹。她十四岁便入工厂作工，十七岁时（一九二五）参加香港大罢工，一九二七（年）广州暴动失败后，又回到香港，入南华袜厂。一九三〇年和邓发结婚。邓为政治保卫局局长，她也在那里工作。一九三四（年）参加长征北上，现在她调到云阳镇附近做妇女工作，同邓发分手已经一年了。

我们离开云阳镇。我们车开到耀县，已经是十二点了。我们本预备去见贺龙，他住在离城三十里的庄里镇，但是听说他正在同人谈话，我们不便去打扰。

为了运米，现在从三原敷设一条小铁轨到耀县。耀县每天有载重车再把这些米转运到陕北各地，因为陕北今年又遇荒旱，一半的吃食要靠外面供给。

耀县有在陕北的军队一连人，城防由十七路担任，他们很和睦的住在一起，下操、唱歌、演习，彼此间比赛着，这个古城顿然变得很有生气。宋范文正公曾在此地做官，药王也生长此处。街上很多人家挂着举人、进士、翰林乃至贞节的牌匾。这原来是个很有历史的城镇。

傍晚有一大堆军士围住我们谈话，一幕一幕的讲述过去的经历，热心的解释他们的新策略。一般知识都很高，能解答许多问题。

三辆运粮食的载重车一齐出发，我们这辆除我外还坐八个人，他们都是从太原来的，已经在那边的军政训练班受了三个月的训练，现在预备到延安抗日大学深造。有两位女学生，很好唱歌。青年男女在一起，多少增加了旅途的兴趣。

从耀县往北，都是山路，车子总是用最慢的速度爬上去，爬下来，一不小心坠到山涧里，我们一个也不会活命。翻过一个大山，以为前面是平地了，但是接着又是一座大山，这样艰难的经过同官、宜春、中部，达到洛川的时候，已经天黑。洛川是一个建在高原上的孤城，夜里很寒冷。我们沿路上看见许多碉堡，有的建在山顶上，有的在汽车路的两旁。有人说陕北的山岳构成一种天然的国防地带，防空的问题很容易解决，在未来抗日战争上，是有很大意义的。

在洛川住了一夜。第二天一早起来出发，十二点到甘泉吃中饭。满城一片瓦砾，只有几家小店，真不像是个县城。此处县长太太也在抗大读书，一同搭我们那辆车返延安。

经过劳山，人们指点我何立中自杀和恩来遇险的地方。此条山路十分险要，土匪时常出没，军士正在烧山，使土匪没有隐藏的地方。

县长太太指着远处的塔尖，说前面就是延安，果然，十分钟后，我们便到达目的地了。

我们都被外交部招待下，成了延安市的贵宾，所住的外交大楼，是一个容有五间房子的小院落，但这算是延安最漂亮的房子了。延安除了三原之外算陕北最繁昌的城市。走到街上，随处都是穿制服的人，我们穿便衣的人，好像怪物似的被人们注视着。街市的两旁摆满了各种杂货摊，军士算是他们最大的主顾。在陕北的军队最近也发饷了，虽然数目较小，可是因为过去从来没有用过钱，一旦有钱，就随便的花起来。照相对他们是最有兴趣和最新奇的事，投机的商人看准这点，就在一个月内开上两三家照相馆，摄的很坏，但取费却非常贵。然而这有什么关系呢！那边的军士是不很计较的。

至于走私来的玩具和每天来的汽车当然也是新奇的，百看不厌的。还有一个现象，就是人人都有一支自来水笔，插在口袋里。我问一个军士是花多少钱买的，"三块钱，原来讨价五元呢！"一看，却是假牌的。延安又名肤施，有许多宋代以后的庙宇古迹。听说当年因为控扼西北的孔道，曾一度繁盛。城墙一面建筑在山上，一面临河。这条河名叫延水，终年流水不断，为延安城添加风景不少，而居民饮料，也赖以解决。

这里人口有五千多人，五分之四是军士和陕北各机关的职员，虽然"苏维埃中央政府"、"共产党中央局"、"革命军委会"等机关都设在此处，但是实际上还是统一战线区。县政府照旧办公，高悬青天白日的旗帜，有保卫团，书店里有三民主义和蒋委员长的著作。

陕北方面为了讨论在西安事变后新形势下的各项问题，从四月三号起在延安举行一个大会，多数的党政军领袖都集中在这里，却因为他们都在等着开会，所以记者未能一一晤及。

抗日大学简称抗大，校舍分散在延安城内和城外。我到延安后第二天，便去参观城内那一部分。

全校学生有一千二百多人，分成十二队，第一队至第八队完全是军队干部，九队到十二队收容从国内各地来的青年。

这次参观的是第一队和第二队，校址就在延安师范里，大门上横挂着一块红底白字的长旗，写着“中国人民抗日军政大学”的字样。校长林彪不在校里，由一位学员领我们参观一周。

教室很整洁，墙上挂着各种图书、壁报和红布制的标语。我惊奇他们有怎样美丽的教室，他们一定像小学生似的热心布置着呵？各班有不少富于艺术天才的人，作的漫画和人像是很不坏的。“严肃、活泼、紧张、团结”这几个字的校训，实际上在各方面表现着。

这两队学生都是高级干部，听说多半在师长以上；第一师师长陈赓也在这里学习，但同时又是第一队队长，负责该队的生活与教育。

宿舍也很清洁。在女生宿舍里遇到朱德的老婆康克清和另外两位女生，后来才知道其中一个叫廖师光，是凯丰的夫人，一个叫蹇先佛，是萧克的夫人。他们都是第二队的学生。

按着文化水准，各队的功课稍有些差异，主要的科目有政治经济学、辩证法、列宁主义、中国革命问题、中国革命史、民众运动和统一战线的理论；在军事中，特别注重战术和游击战争。毛泽东、朱德、凯丰、博古、吴亮平、蔡树藩等人都是这里的教授，其中毛泽东的辩证法，是最受学生欢迎的。

九、十、十一、十二等四队的校址，是在城外飞机场旁边，学员共四百二十名，其中包括女生四十多人。因为有陆续来要求入学的，所以计划续招第十三队。这些学生都是在各处参加过救亡运动的大学生、中学生和一些工农。以省籍论，陕西、东北、河北、山西、山东、四川、湖南、江苏诸省最多，也有远来自朝鲜、安南、南洋的。他们为什么不避艰险地跑到这里来呢？为着满足好奇心或是为求“时髦”吗？这是不会的，因为此处艰苦的生活不能容纳这种人，粗糙的饭食、严格的纪律和繁重的学习，会使那些为追求放纵生活而来的人，马上感到失望。

“抗日”是这个学校的名称，也是它的功课的内容。我在处处看到的是抗日标语，我从人人听到的是抗日言论，我也只有从这方面去理解来到这里的学生了。

“抗大”直属革命军委会，经费每月两万元，比在江西时节省许多。听说在甘肃庆阳还有个步兵学校，是为造就下级干部的，学生有二千多人。

外来学生，经过介绍后，还有一种简单的入学考试，看他的政治、文化水准如何，以便分队；另外要填一张很详细的表格，问他过去的历史、社会及家庭关系等等。

计划每期为四个月或半年，看情形来决定。每天有三小时至五小时功课。早晨五点半起床，下早操三十分钟。早饭后继续上三堂功课。然后午饭。下午隔日两堂，男生有军训，女生则习看护。晚饭后自习。九时半就寝。

实际上是一点没有空闲的，因为除了上课外，还有各种小组会、讨论会、座谈会、娱乐会和特别演讲，以俱乐部为中心，由学生自己来管理体育、文化、卫生、经济各方面的生活。纪律也靠生活检讨会来实行自我批判，譬如，刚从外边去的男女学生，如果有太浪漫的行为，便要遭很严厉的批判。

此外，每周总要有一次晚会，集合大家在一起，演剧、唱歌、讲故事，尽情地快乐一晚。这次延安为纪念“五一节”，一连开了三天运动会。那边的军士虽然善于穿山越巅，有二万五千里“马拉松”的纪录，但在运动场上却丢了脸，一切头奖都被外来的学生夺去，而这些学生在外边时候不过是未入流的“选手”。

毛泽东的辩证法和博古的中国革命史是顶叫坐的功课。毛教授在上课时，总好讲笑话，尤其好引用男女间的事来当譬喻。除掉上次说过的教授外，还有成仿吾、张国焘、张汝新、董必武、吴习光、刘鼎、张庆孚等数人。他们的月薪一律是两元，同学生每月的津贴相等。

我在这里遇到三个队长，他们同时都是第一队的学生，在军队里居重要的地位：第十队队长聂鹤亭是一九二七年黄埔武汉分校的毕业生，为彭德怀的参谋长；第十一队队长边章五是一九二三年保定军官的毕业生，现任延安警备司令；第十二队队长何长工是一位极其有趣的人，样子很像一个老实的农夫，却是从德国回来的留学生，同李立三是老同学，他说现在军队里有不少留德的学生，他作过第八军军长。

我问边章五道，“你们不是主张立即抗战吗？怎么现在又唱准备论调呢？”边想了一下，回答说：“现在情势是不同了，现在是在统一战线下，进行全国对日抗战，所以我们的步调要同全国一致。但是，无论哪天日本再来侵犯，我们都要立时抵抗，至于同日本的最后战争，我们为了达到收复失地和完全胜利的目的，必须加紧准备。”

我又问关于刘志丹的消息，他们说是在山西洪洞县阵亡了，为了纪念他，把保安县改为志丹县；现在刘还有一个儿子在延长念书。

刘志丹是陕北保安人，初为马鸿逵部下，民国二十年在陕北暴动，当时不过数十人，后来渐渐扩大，成立二十六军，和从陕南来的二十五军徐海东部会合，约有一万人，在瓦窑堡设立政府。二十五年后毛泽东、萧克、贺龙相继赶到，徐向前与朱德又于去年九月在甘肃与其他部队会合，遂造成大团圆。

看见徐海东，他是由前方赶来开会的。这个以窑工出身的军事人物，谈起话来非常真挚。他的家乡在湖北黄陂北乡徐家桥，离河南边境很近：他小时就在这些地方混熟了，对他以后在鄂豫皖边区的活动，很有关系。

我问他关于对日作战的战略问题，并把彭德怀所说的告诉他，他说他的意见与彭德怀相同。中国要采取持久的运动战。

延安有两位出名的近视眼，一个是张闻天，笔名叫洛甫，一个是秦邦宪，笔名叫博古，一般人只知道他们的笔名，原来的姓名反而不用了。我同他们两人谈过很多话，现在把它记下来。

洛甫是中国共产党书记，但他的名字在中国却不如毛泽东那样为一般人所知。

我们的谈话开始。

他说，“我们现在政治的大纲，是根据三民主义与国民党第一次全国代表大会宣言的精神，分为民族、民权、民生三项。在民族主义上，我们要求中华民族的独立解放，确立抗日国策，联合世界上以平等待我之民族和各弱小民族，参加和平战线并建立太平洋具体安全制度，对于国内的少数民族，予以完全自决权。在民权主义上，要予人民以集会、结社、出版、言论之自由，由国民大会产生民主的宪法，从而树立民主政策，行议会制度，并规定中央地方内之权限。在民生主义上，可分两方面来说。一是国防经济建设，所有建设皆以国防为中心，发展民族工业，使重工业国营，加紧军事、政治、文化、交通的准备。一是改善人民生活，造林垦荒以救难民，取消苛捐杂税，限制高利贷，规定佃租关系，土地问题以适当手段求其解决，施行八小时工作制，保护童工女工，普遍工人教育，实行社会保险法。”

我又问，他们致三中全会通电里的四项保证，现在都实行了吗？

军队改编和苏维埃改为特区政府等具体工作，不久皆将实行，至于没收地主土地的政策很早已经停止了，现在此地看见一点违背和平统一的口号与行动吗？这可以表示我们的诚意。

“军队改编的数目和中央发给饷糈的数量，都已经规定了吗？”我选更具体的题目问他。

军队仍照现有的数目编制，现在饷糈的量数虽然很小，但是我们要很好的分配开。我们这里没有待遇上的差异，一个军长同一个普通战斗员完全过一样的生活。

他又说：

为着中华民族的彻底解放，每个人都要工

作，一刻不松懈的工作。前途的阻碍与困难，是难免的，只靠大家的努力才能克服。一些青年人犯性急病，感觉前途荆棘太多，胜利遥遥无期，因而感到失望，甚或盲动起来，这是不对的，因为胜利只能是持久的艰苦工作的结果。抗战不是靠少数人冒险冲锋能够得到胜利的。

洛甫因为有事，约好以后再谈，我请求允许我以记者的资格，到党代表大会去旁听，但被拒绝了。结果我只好在他们散会的时候，到会场巡礼一周。

会场借用一个天主教堂，不久以前的西北青年救国代表大会就是在这里开的。会场里边满挂着五色的锦幛，是各处送来庆祝大会的，形式、颜色、字体都非常新颖，有的制成美丽的图案，就是庆祝婚礼的喜幛，也没有像这样漂亮的。这些贺幛是由各地救国会、党部、军队、商会、剧社、政府机关，以及蒙民、回民送来的，贺词有很多种，如“争取民主权利”、“巩固国内和平”、“团结御侮”等等。

这次大会由五月三日起，一直开到五月十五日，各军队和地方来的代表约有一百多人。大会主席团为毛泽东、朱德、洛甫、张国焘、林彪、博古、林伯渠等。

礼拜日休会，一群青年男女利用会场来排戏，时时哄堂大笑，原来排的是《阿Q正传》。为了招待大会代表，延安差不多隔一天演一次戏，这个叫作晚会。

出了会场，一个拥护西班牙革命的示威正从街上经过，参加的人很多，包括市民、小学生和军士。他们一路唱着歌，高呼打倒法西斯佛朗哥的口号。大会堂的门前，不知何时也悬上一个西班牙文的标语。

我从人群里穿过，看见美国记者施爱义女士，正从一个高处照相。她年纪在五十岁左右，身体还很强健，西安事变后才从三原来到这里，现在正为朱德作一篇很长的传记。她住在一个山洞里边，吃的是中国饭，为了采访新闻，竟能抛弃西洋人的现代生活，来过这样原始的生活，我对这个异邦女人，不胜惊奇。

陕北的抗战动员（通讯）

海客

××先生：在这包括二十多县的“边区”里，已为“建立抗日民主模范区”奋斗一年多了，过去的谈起来，也真太多，只能将最近的情形写下来。从卢沟桥事件发生那天起，这里的工作是更加紧张了，一切任务都用着战时的速度来完成着：

军事方面，红军将领为着迅速实行抗战，是用大公无私的态度，向中央政府请缨杀敌，同时并将红军番号加以改变，称国民革命军第八路军，全体十余万人立即向前方出动了。他们为着争取抗战的胜利，不仅在长久的准备中，提高了指挥员和战斗员的政治和军事水准，发扬其英勇善战的精神，而且改善了士兵生活，每个战斗员（士兵）不但是在其他方面是与指挥员（官长）平等的，就是薪饷也一样是和指挥员一般地一月十五元。这比较其他军队一月只数元还扣鞋袜费的薪饷，自然是要高得多了，而他的战斗情绪和军风纪等也就随之巩固得多了。当然这只有在 ×× 党领导下的 × 军才这样作；也唯有 × 军才能作得到的。除了正规军队动员之外，整个的“边区”是在猛烈地进行着武装全民的工作，民众们是编在游击队或游击小组里，有系统地受着军事教育，最有趣的，是里面荷枪的女兵亦不在少数，而且都是出于自愿的。

第八路军现在是已经在广大群众热烈地拥护和欢送中到前线了。早一个月前，延安被服厂的女工、安塞、保安、延川……许多地方的妇女，为着欢送八路军上前线，她们自动地给八路军送去了数千双鞋袜，更有把在“春耕运动”中所开垦的新地的一季生产的谷物全数送给八路军，以表示她们对八路军的爱护。八路军战士们，是在各地盛大而热烈的欢送会中，在拥挤的群众欢送队中，负着解放中华民族的伟大任务出动了。他们将以模范的英勇姿态和日本强盗搏斗了！

为什么民众（包括所有与八路军接触过的）对八路军这般热烈拥护呢？没有别的，只因为八路军保卫了他们的利益，八路军指战员们，自觉地执行着军风纪的规定，民众们对他们感到异常亲切。“边区”民众在八路军苦战中得到了无比的利益，就以这次“国大代表”的选举来说吧。这里不但没有贿赂、圈定、包办，或其他的卑污行为，而且是最民主地进行着选举运动，凡达法定年限的男女全都参加了，即过去认为反动的豪绅也参加了，所谓村夫愚妇亦全参加政治活动，而选出他们真正的代表来。保甲长、县长（前国军驻地除外）亦莫不是由民众选出的。同时，此地民众因只纳极少数赋税，劳动热忱是大大地提高了，男女在“不使有一块荒土”的口号下，积极地垦荒；工人在自己管理工厂当中，加紧生产，以增厚经济的国防力量。在高度的政治觉悟中，他们更巨量地捐输了他们劳动的所得，而彩色的油印报纸（如《红色战士》、《红星》等）上，这些消息大有拥挤不下之势。

“边区”民众不仅为巩固后方和随时准备到前线去而努力地工作着，同时在争取抗战胜利当中也自己教育着自己，自己提高着自己，在九月这个“文化运动月”当中，充分地表现了他们的学习与求知的热忱。开始经过党的动员，普遍地进行了文化运动的宣传，中央、抗战、战号、儿童和各地方的剧团[1]，以及宣传队、歌咏队深入地宣传说明了提高文化水准是争取抗战胜利的一个必要条件之后，老的、少的、男的、女的都进入鲁迅小学、补习夜校、认字班、学习小组等无数的学

[1] 原文如此。——编者注

习机关里去了。带着精美的插图的识字课本、新文字课本、抗日课本等，很快地在工厂、农村、兵营、作坊和家庭里散布开了。这使教育部长徐老头子忙得不亦乐乎，整日夹着书本笑嘻嘻地各处跑着，用他走风的嘴和别人招呼，据说他在法国镶的假牙齿在一次游泳时，落在水里了，至今没有再补上，所以说话老是“呼”地走音。

最后，在文化方面，除了大家已所知道的那部伟大的《长征记》外，最近仍用集体的方法，由军委会主持，在编着一部有同样价值的《红军史》，稿件已集了不少，但尚未竣事呢。

总之，这里的一切活动都是为了争取抗战的胜利，一切工作都是为了中华民族彻底解放与自由独立，而臻于“抗日民主的模范区”。因为在这个地区是对抗日民族革命战争最忠诚、最坚决、最勇敢、最彻底、最积极的，同时在中国是最平等、最自由、最民主的地区。如果全国范围内，都能够像这里一样用妥善的方法，动员了所有的人力、财力、物力的话，抗战的胜利我们是有绝对把握的。

拉杂写了这些，全无章理，希原宥！敬致民族解放的敬礼！

在延安

（骅）

（一）

沿延安城的公路边是一带连绵不断的荒山；陡峭，不生树木；遍山的野草，而且也已经被秋风刮得枯死了，一过风吹，就满山吱呀、吱呀地叫，在申诉自己的境遇罢！除了在半山上偶然可以看见一二割取枯草的农民以外，就只有零落地在山脚下啮草的羊子，牧羊人的影子都没有了。山被人们的感情所抛弃！每到更深人静，狼便出来，唔唔地叫，满山横行着！更增加了这些山同人中间的距离。

这座受伤的山，愁苦着，受着冷酷的末秋的鞭挞，突然命运被改造了！在东南方面的山岭的晨雾中正微弱地露出了一线红光。由城的北门向外，一二三……，一二三……，大的、小的、男的、女的一支精神抖擞的队伍。整整一千人呢！冷！寂寞！一切的不幸被他们的歌声驱逐了！他们是这样一支军队：徒手、快乐、年轻、举着铁铲和锄头、背负着共产主义者创造世界的任务。现在就要去改造一个被冷酷地待遇的命运的那座孤寂的山。

站在路边上的老百姓，惊奇着，忘记了清晨的寒冷。队伍前进着！前进着！到了山脚，分队的向山上爬行。"没有路？爬！没有路！爬？"干枯的茅草，刺痛了他们的腿。可是，他们一些也没有踌躇，只是向上爬！终于到了半山，他们希望的第一步实现了！

在半山上，他们被分成了几十个战列"一——二——三……动手！"立刻便开始了他们预定的工作。

土、山石和枯草，在他们的锄头下被迫着四迸。向着山脚下迅速地滚。“被打溃的日本兵”，队伍中发笑出嘲弄的“哈哈”声。

于是锄头和铁铲更是闪一样的向着山腰攻过去！这是抗日军政大学的全体在建筑他们的新校舍。在这个队伍的前面，一切都只有让步。山，被新鲜的土染上了鲜黄的颜色，被快活的劳动创造着新的生命，寂寞不再是这个山的命运，而将以占有抗日军政大学的新校舍的光荣出名啊！

（二）

然而：“这是多么困苦的事呵！”有些人听了咋舌说：“什么？大学生，而且还有大学教授？也来做这些事，他们哪里干得了！”这些人不明白：他们都是红军的干部，他们曾经打破了千百的障碍，他们自信可以打破更大的困难，在他们说起来建筑一个校舍算什么？况且是为了帮助抗日经费慰劳前方，他们挥着锄和铲，他们还唱教育着自己、教育全国千百万青年的歌声，“唷！挖窑洞，唷，防避日本的飞机，保护国防的教育，打倒日本帝国主义！”

到处议论纷纷；怀疑的，钦佩的，认为红军的干部曾经战胜过无数的敌人，他们现在也将同样胜利的完成自己的任务的。然而他们不作声，只是挥着锄和铲，他们最明白地看见自己前面的胜利！

一天、两天、三天……山逐渐向后退，窑洞开始出现。人们在呼唤着斯达哈诺夫万岁。

（三）

劳动的紧张使他们疲劳了，“休息”！

远远的一支队伍，踏着歌声，“来了”！这是来慰劳的。休息的一群发出欢跃呼声：“呀！欢迎！”

“这是毛巾”，“这是洋袜”，“这是猪肉”，“这是青菜”，“这是彩联”，“这是花圈”！“……”军委政治部、后方政治部、陕北公学、特区党委、延安城的民众……

慰劳你们，亲爱的同志们！

感谢你们，亲爱的同志们！

努力加油啊！我们一定！

慰劳者组织唱歌和舞踏，在窑洞前面的平地上开始舞踏起来。战士们拍着手掌，合着他们的舞步和歌声。

他们要把中国当做一个屠场，任他们杀，任他们抢……

帝国主义为了逃脱，深刻的恐慌。他们是

这样的疯狂……

是的！我们迅速筑完了窑洞，就是为要战

胜强盗们的疯狂！

（四）

劳动在继续进行。

他们以超过一倍以上的速度完成着他们的计划。他们把工作组成了劳动的学校。

“休息”，这是进行政治教育。“工作”，这是他们在锻炼自己创造的天才，仅仅靠了他们的手腕和力量，组织和同情，创造出了种种新的技巧。这早已应该在他们的前面看出这未来世界的光明了啊！

他们举行竞赛，但这不是说“锦标”！

一个队提出他们的成绩和计划，并且提供完成这个计划的一切实际经验，声音便在别个队里叫出“加油”！

他们彼此领导别一个队走上去，谁也不使别一个队落后，这里有竞争，但却有积极的同情和帮助。这是他们胜利的唯一指示。

和平，民主，抗战

米春

（一）

一九三六年十二月十三日的清晨，在保安，天气有相当的冷。在一座叫做“皇宫”（保安城最漂亮的房子）里挤着七八个人：在扣自己衣服的，在叠自己的被头的，在泰然睡自己的觉的，有用小心的声音读自己的书同自己的思想辩论的。除此，一切都像凝结一样的冷静，人们偶然发出来的声音，就像碎裂玻璃一样打击着这个早晨。

急躁的脚步声踏着“皇宫”的台阶过来了，立即一个熟悉的声音推开门进来，并且笑着发问：

“你们还在睡呀！”从他的神气上看出来，这是一个非常的疑问。

“有什么事？”内面的人追问。

问题的回答……简单，但却异常突然。

这是西安“双十二事变”！室内的七八个人，拿错别人的衣服，自己的脚踏在别人的脚上，忘记了自己手里的牙刷……兴奋，问题，讨论，到街上去乱跑，去找朋友。十年战争的对手，“杀呢？还是放呢？”“战争呢？还是和平呢？”

（二）

今天已经是一家人，但昨天都还是敌人的那个队伍，集中几十个团从保安的西北方向苏区挺进。

共产党中央和军委会毛主席的命令——向后撤退！避免战斗，努力宣传说明的工作，必须使对方知道“立即和平”的重要。

向苏区挺进的队伍已经接近了定边、盐池，他们沿途没有遇见一个红军，他们把红军和共产党要求“和平”的“标语”、“小册子”、“传单”看也不看就撕毁，他们发疯的相信一定能够消灭红军。

共产党中央和军委毛主席的命令——向后撤退！避免战斗，努力宣传说明的工作。他们都是中国人，也一定会同我们一样感觉“中国现在迫切需要和平”！

几十个团已经占领了苏区几县的土地，主力进入了山城堡。红军已经不能再退。

红军指战员开大会，政治指导员解释共产党中央和军委会的战斗的命令。

同志们！我们要求和平，我们要求所有的

中国（人）不自己相打，联合起来打日本。我们为实现这个要求已经“仁至义尽”，但是却还说不醒他们，这叫我们有什么办法呢？给他们消灭是不行的，我们是真正的中国人民的武装呀！

全体战士叫喊起来，“战争罢！”

在叫做“皇宫”的那座房子的前面空地上挤着几十个人，其中只有一个是真正的文学家——丁玲，其余则只是向着这个方向学习。这些人是在开中国文艺协会成立大会。演讲人——毛主席、洛甫同志、博古同志、徐部长、林部长……。丁玲主席。

红军自身就是一部伟大的史诗。红军在长征中克服了历史上未曾有的障碍。苏维埃、人民红军、艰苦的十年战斗、自造的蜡纸、识字沙盘、草地、蛮子区……这些是同艺术不可分开的东西。艺术家应该从这些中间来创造他们的故事。

会开完了，主席报告“散会”。但是还有，毛主席报告：

“同志们！昨天我军在山城堡打了一个胜仗。”鼓掌，欢呼万岁。“消灭敌人一个旅”，鼓掌，欢呼万岁！

（三）

在叫做“皇宫”的那座房子的内部嘈杂着。小组长做主席，报告开会。

题目:《西安事变以后的国内外形势和我们的任务》。发问，愤骂，解释，驳复，辩论……十年的战争的对手，“杀呢？还是放呢？”“战争呢？还是和平呢？”

一个同志站起来详细描写国民党在过去十年中的种种，努力说明国民党的本质和不可能抗日的条件。

另一个同志从另一方面来解释自己的意见，从大革命以前的国民党就描写起，然后说到中国革命和中国民族目前所处的地位，努力说明国民党的本质和可能抗日的条件。

问题继续出来，愤骂、解释、驳辩。最后主席做结论：

> 同志们，现在不能做结论。应该杀呢？还是应该放呢？这要看事情的发展。但是有一点这是大家应该知道的，就是中国目前需要的是战争呢？还是和平呢？应该是和平罢！因为我们必须准备同日本帝国主义作战。

（四）

西安事件和平解决，十年的战争告了结束。会议，讨论，辩驳，继续在延安进行。

一个月，二个月，三个月……延安城活了过来，十个二十个饭馆，赚钱，再开二十一个。上海的制造品潮一样涌到了延安商店。钟鼓楼变成了上海的南京路。

苏维埃改名称，特区首先实行彻底普选的民主。地主、土豪回了家。

乡代表会、区代表会、县代表会、代表、主席、工作者。民众选举谁呢？贫农呢？手工业者呢？富农地主呢？共产党的代表呢？保卫团长呢？投票！

豪绅、地主、富农、保卫团长放出空气：

听说九嶷山上挖出了一块石碑，碑上写着“物归原主”。苏维埃、共产党红军决不放弃人民群众在过去已得的权利。土地仍然是农民的，反对地主豪绅收回。

汉奸亲日派乘着特区普选运动的开展散播阴谋：

唉？你们把革命看轻点，哼！我早就看到

革命没有希望了，你们都不要叫你们的娃娃念书。

现在苏维埃政府与红军买粮哩！已经超过了数目，这就是现在负责的工作人不去抵抗，若是我当选县主席时，不但不给他们买粮超过，而且绝不给他们买。

今天扩红，明天扩红，终到底是王莽替刘秀练兵。

选举会议在进行着。

一个老太婆投一票，“大哥！你给我写上名字，不识字真是坑死人”。

“选举谁呢？”

“选举隔壁的张大姐儿罢！”

一个农民投一票，但是无论如何都不要写上地主豪绅的名字。

千百万人进行投票。

他们的代表有乡的、区的、县的、小脚大娘子、十八岁的共产党支部书记的大姑娘。铁匠放下了他的铁锤，农民将自己手上和脚上的牛粪洗净了，在县代表大会开着会。

会场里没有凳子？坐在地上。不知道长篇大论和礼貌？但是没有一个比他们还关心到开一条水渠和秋收问题的。他们用没有文法的词句讨论了一切政治经济和文化的建设问题。为什么呢？因为他们是人民自己。

（五）

但是红军改了八路军，要走了，到抗日的前线上去。

农民想着了自己的土地，想着了穿在身上的新衣服。怎么办呢？

一个农民的母亲走到开拔中的红军队列的旁边站

着。“你们真是一些好人，你们走，什么时候再回来？”

一个红军战士将自己包裹里的一件旧衣抛给了她。

老妈妈，我们打倒了日本帝国主义后就回来的。

希望你们快点回来呀！

队列过了身。远远地一个孩子在跳跃着，向着红军去的方向：“一二三……”“一二三！”打倒日本帝国主义。

西北特区和红军

史诺

美籍名记者斯诺氏居留我国多年，对于我国情形，极为熟悉。去年夏间曾受英国《前驱报》委托往陕、甘、苏维埃区域游历，历时四月，为该报作中国苏区通讯，迄今仍在继续登载，叙述忠实，极为欧美人士所爱读。斯诺氏又曾演讲其本人游历苏区之印象，听者之中，外籍人士约百五十人。当时，斯诺氏于演讲中描写中国红军纪律之严明，抗日情绪之高涨及其主张反对内战一致抗日之坚决，颇为详尽，并述及其所耳闻目睹之苏区各种状况，听者甚为感动，特别当斯氏言及其本人与苏维埃人民政府主席毛泽东氏之谈话时（此谈话曾由密勒氏评论报发表），听者尤感觉极大之兴趣。该演讲会主席之英国使馆人员恩普兰氏宣称，若斯诺氏此言属实，则大家都应欢迎红军开到北方来。英文《北平记事报》特将斯诺氏之演讲加以记载，并称斯诺氏演讲极为动听，历一时三十分钟，听者毫无倦容云。

按斯氏曾在去年十月三十号英文《平津日报》上发表其游历苏区的闻见，关于苏区情形及生活，叙述甚详。

据斯氏称，他曾受到共产党领袖，尤其毛泽东氏之良好待遇。准许他自由旅行、笔记、照相，并且特送一匹马给他乘坐。他在严寒的气候下，在人迹稀少的森林中走了四十二天，得到各地农民许多赞助，且不愿受他的报酬。

据斯诺氏的记述说及，现在集中西北的红军队伍，人数不下十余万，武装方面，有良好充足的步枪和机关枪，服装给养并不坏，当他离西北时，红军士兵已著皮衣，据他说，中国红军，比之江西时代更强有力了，其作战经验比以前更加丰富，且其领袖人物，又已集中于一地，这是一件很有意义的事实。

斯氏谓苏区设有自己的邮局和银行，发行自己的邮票与钞票，苏区的邮差的服装与中国其他各地邮差无异，也穿绿色制服，不过另加红章。斯氏谓，他一入苏区，就将所带之钞票兑换了苏区钞票，一块南京政府的大洋可兑苏区大洋一元三角。

斯氏谓：红军总司令部与外界交通甚便，有无线电机可收南京、东京、柏林、赤塔、莫斯科及其他各地的消息，所以每天都可收到外界的消息。在苏区同样出版各种日报。

彭德怀部以前没有骑兵，但现在则已有二千人的骑兵团，红军由南京方面得到许多军械，捷克造的、英国造的、美国造的、日本造的枪炮都有。

红军有严明的纪律，有贤明的领导。他们目前的主要目标是反抗日本帝国主义。

斯氏又谓，从前大家都以为红军中有俄籍顾问，但他本人在苏区只遇见一个欧洲人，但还是德国人。他并曾和这位德人谈过话。

红军医院也组织得很好，但医药及必需之设备较差，因为这些东西，从前都是在和南京军作战中取得的，而现在则已有六个多月没有战事了。时常两军彼此距离甚近，但谁也不愿意打仗。红军战士中多十七岁至二十岁之青年，指挥干部也多属青年，他们都受政治教育，每天都有政治课程。他们不是土匪，有组织，而且有纪律云。

陕北的工业

秦倩

离开保安西北几日路程的吴起镇，乃特区工业的中心。

在这中世纪的世界中，忽然碰得特区的好多工厂，并且可以看到好多机器在转动，和一些工人在匆忙地制造各种货物与工具，是使人惊奇的事。

我晓得在江西曾发展工业。他们经营中国产量丰富的钨矿。在吉安的中央 ××× 印刷厂，雇用了八百以上的工人。许多书籍杂志以及一个很大的报纸是从那儿印刷出来的。

在江西还有纺织工厂和小规模机器工场。小工业生产相当多的工艺品以供给他们简单的需要。惟大部分的制造，还是用手工业和家庭工业造成，由生产合作社来推销。

不过在西北，我完全没有料想到会有什么工业存在。在这地方共产党遇着较南方更多的困难，因为在特区建立之前，这一带原来却连极小的机器工业都没有。在所有西北各区，如陕西、甘肃、青海、宁夏与绥远，其面积相当于欧洲这样大，而其机器工业投资，总数还不到福特汽车公司一个大的联合厂这样多。

自然特区的封锁妨碍了机器的输入和工程师的招请。关于后者，他们说现在的人数已经很够。可是机器与原料却是比较严重的问题。仅为了得到几架车床、织布机、引擎，或废矿的获得，第八路军曾打了几次仗。差不多可以称得上“机器这名称下他们所有的东西，都是搜获得来的”。举例来说，去年山西之役，他们获得不少机器、工具和原料，这些东西都是用骡子经过陕西万山重叠的道路而达他们使人难于置信的以岩穴为房屋的工厂的。

南方的共产党，到西北后，急谋工业的发达。他们随身带着好多车床、回转机器、钻、铸模机、碾辘机等。他们带了几打胜家公司的缝衣机，现在衣服工厂就赖这种机器供给；他们同时带了在四川时所用的金银和石印机与简单印刷机。

特区工业包括成衣厂、军服厂、制鞋厂与保安及甘肃省河理湾的纸厂、长城边境定边的毡厂，以及出产中国价格最低煤的永平（镇名，在延川、肤施、安定之间）的几个矿产，以及其他几个县内的毛织厂和纱厂——这些工厂都计划着尽量生产陕西、甘肃、苏区四百个合作社所销售的货物。现在工业计划的目的，据人民经济委员毛志敏（译音）说，是使特区经济自给——即在任何封锁下，也能生存。

特区最重大的国营事业为宁夏沿长城的盐池地方的精盐制造厂与永平、延长的油井，这油井生产汽油、挥发油、凡士林、蜡、蜡烛及其他副产品。盐池的盐层是中国最优良的，当第八路军驻扎该地后，允许将一部分的产盐给长城以北的蒙古人，极获得他们的好感。陕北的油井是中国唯一的油井。当驻扎永平后，第八路军加掘了两个井，生产比原来增加百分之四十。

吴起镇不但是特区工人最集中的地方，更其重要的是第八路军主要兵工厂所在地。

吴起镇的兵工厂，像抗日大学一样，是建造在山侧一带地窖中。这些房子是清洁的、空气流通的，光油壁上溜下来，并有最大的优点，那就是防空设备极为完固。在这地方，我看到一百个工人做手榴弹、小钢炮、火药、手枪、小炮弹、枪弹，甚至几种农具也在做。修理部则为从事损毁的步枪、机关枪、自动步枪与轻机关枪修理之用。但兵工厂的出品是很粗劣的，出品的大部分为别动队之用，正式第八路军兵士大都是用着夺来的枪械与弹药。

在吴起镇兵工厂之外，还有几个成衣厂与军服厂、一个制鞋厂、一个袜厂，与一个配药厂与制药厂，有一个医生在主持。他是一个刚从山西医校毕业的青年，他的年青的漂亮的妻子和他在一起做看护。他俩都在去冬山西之役加入第八路军。

除开在兵工厂与军服厂的工人以外，大部分的工人都是十八岁到三十岁的青年的女子。中国特区的口号是“同等的工作，同等的待遇”，揣想起来，对于妇女并无工资的差别。

工人状况，大概每个工厂工人，每月可得十元至十五元的工资，食宿由公家供给。每天工作八小时，每周工作六日。当我参观的时候，那些工厂都工作二十四时，换三次班——恐怕是中国最忙的工厂了。工人享受免费的医药，受伤者并可得津贴。女工生产前后，可得四月休息，工资照发，并可支取部分的社会保险。保险费的来源是从平常工资中扣除百分之十，政府再加上同样数目而来。政府并捐助全部工资百分之二相等的数目，以为工人教育、娱乐等之用，这些基金是由工会与工厂委员会共同保管。

这些自属很进步，虽则或许与共产主义的乌托邦还相去太远。事实上这些条件在特区生存斗争的时候而能实现，实在是有趣味的一件事。他们所实现的是多么原始，那完全是另一件事！他有俱乐部、学校、极大的寄宿缩舍，自然这一切都在穴居室中，只有泥地而无地板，没有淋水浴，也无电灯。他们所吃的食物，只有玉蜀黍、蔬菜及偶然间有点羊肉。没有茶，没有糖，没有牛奶，也没有咖啡。他们无问题可以拿到流通特区货币以为工资，与社会保险，但他们用这货币所能买到的用品却严格限制于必需品上并且即连这些也没有人能够多买。

“不能忍受！”普遍的英美工人也许要说。但对于这些人，却显然不是这样。你要明了原因，你得将他们的生活与中国其他地方对比一下。

这样，对于吴起镇的这些工人，虽然怎样原始，这儿至少总有着一种康健的、有运动的、有新鲜山地空气的、有尊严的与有希望的生活，并有开展的余地。他们晓得没有人从他们身上找钱，我想起来他们觉得他们为自己而工作，为中国而工作，而他们也说，他们是革命的，在这样情形之下，我明白他们为什么每天这般认真费两小时读书写字，这般认真对于他们的政治演讲和戏剧团体，以及为什么对于那一点为团体或个人运动比赛、识字运动、公共卫生、壁报、工厂效率等而设的可怜的奖品激烈竞争的原因。

所有这一切很难使我这样一个中国老手置信，虽则我不能抹煞我见到的证据，我仍不能深明其终极的意义。为了节省篇幅起见，自不能一一详加列举。

但当我写此文时，我偶然记起了一件奇特的事情，我曾在那儿遇见一个电机工程师，一个出色但是十分严格的共产党：名字叫做朱子齐（译音）。他懂英文、德文，他是一个电力专家，他曾写一本工程教科书，中国各地采用的很广。他有一时期任职上海电力公司，后复任职慎昌洋行，一直到最近，他还有一个一万元一年的职务在南中国，在那地方，是他任顾问工程师，后来他放弃了这职务，离开他的家族，到了陕西荒山中，为红军服务，一点不贪图什么！真是不可思议的事！这事件的根源是由于他的敬爱的祖父，一个宁波的慈善家，他将死的时候，嘱咐青年的朱“为大家提高文化水准而献身”。于是朱认为最快的方法就是这条路。

我想来，朱这样干，有些像传奇故事一样，是出于殉道者与宗教家的精神。对于他，这是一件极神圣的事，他过去想，也许会早死，他希望别人也那般想法。我相信他是有点吃惊，当他看见充满了这极多的他认为粗俗的娱乐，而每个人都很快活。当我问他作何感想，他严重地回答我说，他只有一个不客气的批评，那就是：“这些人，花费了太多的时间在唱歌，而现在还不是唱歌的时候呀！”

文艺在陕北

马骏

上海《字林西报》对于“苏区”的文学，曾发出过美中不足的惊叹，以为在“苏区”无处不在创作伟大的文学的题材，然而优秀的杰作——优秀的小说、戏曲、报告文学，却不多见，这惊叹大致说来是对的，但说“苏区”没有文艺，或不要文艺，却是错的。在荒芜、冷淡、寂寞的陕北山川，奇花异草固然还没有生长，但田野却也杂乱的怒放着很多惹人爱的野花。

边区的文艺和戏剧，也像边区的其他的一切一样，有着活泼、轻快、雄壮的作风，并且也具备着大众化、普遍化和深入群众的特点。外面，文学的作品，通过了印刷所的关系，整整齐齐地排印在纸上，供爱好文艺者的阅览。边区的文学作品，杂乱的散布在各部队、各机关、各学校、各乡村的报纸和墙报上。在这种墙报上，你会发现用各种不同的手法描写的短篇小说、速写和诗歌。技巧方面纵然幼稚，但都是他们自己实生活的写照。甚至在部队里，不能拿笔写字的人，却会用口不倦地讲着，请了会写的人写下来，而第二天在墙报上便会有人在热心地读着了。

二万五千里红军伟大的长征，不但在历史上造成了一个伟大的史绩，在文学上成为伟大的史诗，在陕北的文坛上更是一个伟大的巨浪。这巨浪的翻滚，发现了许多富有文学天才的作家。同时这巨浪也推动了许多边区的青年走上了“文学习作”的道路，最初《二万五千里长征记》的主持者，开始征稿时，满以为所得的成绩，颇难逆料。但结果，稿子像雪片似的，从辽远的东南西北各处，也有从辽远的沙漠，用稿纸写的，用白纸写的，有用纵笔写的，钢笔甚至铅笔写的，寄到主持者的桌上，这里有夜渡乌江，大渡河抢渡，血兴肉的斗争，也有娄山关前后，再占遵义，惊心动魄的场面，从江西到陕北，三十万字文稿，不久便集成了。这证明了荒芜的陕北文坛，已踏上了一个光明的途径，并且，随着《二万五千里长征记》的收集，边区文艺协会的组织也成立了，文艺的兴趣也被大大地提高。

至于戏剧，也像文艺一样在西北角上，随着抗日救亡运动热烈的开展着。虽然这多山的陕北，地理环境限制了一般文化的开展，历年来的内战失掉了进行文化教育工作的机会，一般人民的文化水准的低落情形，还没有克服过来，但这也没有阻止戏剧运动的发展，也没有削去了戏剧运动的作用。

边区戏剧运动是去年十二月才开始的。那时“人民抗日剧社”刚踏进古老的延安，没有几天，便被群众狂热地欢迎着，要求着，一天到晚的忙着排练。于是在本年四月初便成立了一个“人民抗日剧社总社”，来有计划的领导延安和陕北各地的剧团。在总社下，在延安有“中央剧团”、“平凡剧团”、“战号剧团”和“青年剧团”，在陕北有“锄头剧团”，在陕甘宁边区有“西北剧团”。“七·七”卢沟桥事变发生，全国抗战展开，八路军开赴前线参加作战，在延安并成立了一个战地服务团——一个也是演剧的团体，由丁玲领导到前线，慰劳作战的士兵。

在“中央剧团”、“平凡剧团”……许多剧团之中，历史最老的：是中央剧团。团员五十多个，大半是天真的儿童。他们都在剧团的歌舞组里受训练。他们除了跳舞外，还会排许多的活报，活报是在苏联革命时期从革命军事中产生出来的，它的性质，和电影的新闻片相似。将事实用戏剧的形式表现出来，使观众易于了解，字音一个个说出，再利用方言，效力较戏剧更大。中央剧团并且除了歌舞组外，还有戏剧组，经常排演农村和游击战争的话剧。

“平凡剧团”和“战号剧团”，前者是一般知识分子和有演剧经验的青年组织的，后者是一批抗大的学生，青年剧团只是延安爱好戏剧的青年，师范学校、小学校青年所组织的。

在延安，一般剧团所演的戏，大都是:《亡国恨》、《秋阳》、《没有祖国的孩子》、《汉奸的子孙》、《本地货》、《死亡线上》、《放下你的鞭子》、《撤退赵庄》、《秘密》(翻译剧)、《蹂躏与反抗》、《察东之夜》、《矿工》……描写日本帝国主义欺侮中国人和中国人在日人的铁蹄下过着凄惨、屠杀、压迫、奸淫的生活，并在被屠杀、被压迫、被奸淫的生活中间告诉我们只有反抗才是出路的戏剧。

并且边区的戏剧运动因为环境的关系，他们是十分的自由，不受任何限制，且时常得到政府的鼓励和帮助，所演的戏，都很群众化，对话也很通俗，能抓住每个群众的心坎和脉搏。并且他们时常到各县去排演话剧，他们有很多剧是依照当地风俗习惯和环境而写的，都能适合群众的兴趣和情绪。

文艺、戏剧在陕北，正像丁玲所说一样：

> 这初初的蔓生的野花，自然还非常幼稚，不能餍足高等博士之流的幻想，然而却实实在在是生长在大众中，并且有着辉煌的前途是无疑的。

“关于抗日大学”

“抗日大学”是第八路军培植抗日人才之最高学府：校长林彪，是个年纪还未到三十岁，从来没有打过败仗的第八路军高级青年指挥官。

抗日大学的设备是很简单的，教室都是些土洞或庙宇，最堂皇的礼堂也是一所破庙。椅子和桌子，虽然都是石头和砖块，但排列得整齐，也特别表露得实际与雅致，黑板是石灰和土的墙，建筑都是完全预防敌机轰炸的。

这大学，在“八 · 一三”以前，本来有几千人的。自第八路军奉令调一部分到晋北抗敌后，更有一部分学生，自动请求加入队伍，为自由解放而斗争去了。

他们的校训是：“严肃活泼、紧张团结”八字。

这里的学生成分：有第八路军里有经验的战士，中学或同等学力学校毕业生，有没有职业的教师和官吏，有反日义勇军首领，有反日游击队领袖，有从事组织工人和领导工人运动的工作人员，有苦而无告的劳苦大众，总之，只要你决心和日本帝国主义拼命，愿为民族解放的目的而贡献自己的青年男女，他们都很欢迎，不过也有点限制：就是身体要强健，没有流行病而且没有任何的恶习。

每个学期的费用，包括衣食和一切的什费，每月用不到十五元，那里的学生，都是利用敌人的宣传品的空白或背面，做课室里的笔记。

这大学共分四部，各个不同的门部，都有不同的课目，综括起来有：“军事学”和“政治学”两大类。在军事科目包括有：对日作战的技术问题、对日的游击战术、反日战争之游击战争的发展、日本对华北作战的问题，还有 ×××× 等。政治方面包括：政治知识、中日革命问题、政治经济、民国策略问题、日本政治的经济力量及 ×××× 等，现已办至第二期。

第八路军培植人才的机关除“抗大”外，最近又在延安设有陕北公学一所，设备和“抗大”相仿，校长为成仿吾氏，现在招生日期虽既过去，但有志者、投考者，尚可通融云。

三联经典文库第二辑简目

《游击战教程》　明凡 / 著

《游击战术纲要》　陶剑青 / 编著

《汪精卫卖国的理论与实践》　钱俊瑞 / 著

《抗战以来》　韬奋 / 著

《陕行纪实》　楚云 / 著

《随军散记》　沙汀 / 著

《被日寇囚系半载记》　王研石 / 著

《倭营历险记》　房沧浪 / 著

《活跃的新西北》　田影 / 编著

《保卫华北的游击战》　刘清扬　陈北鸥等 / 著

《徐州突围》　《徐州突围》编委会 / 编

《沦亡的平津》　长江　小方等 / 著

《淞沪火线上》　胡兰畦等 / 著

《瞻回东战场》　长江　罗平 / 著

《东线的撤退》　胡兰畦等 / 著

《抗战中的西北》　徐盈 / 著

《鲁闽风云》　徐盈等 / 著

《西线生活》　西北战地服务团集体创作

《中国解放区见闻》　［美］福尔曼著 / 朱进译

《全面抗战论》　潘汉年 / 著

《日本的间谍》　范士白自述 / 尊闻译

《日本大陆政策的真面目》　国难资料编辑社 / 编

《民众动员论》　李公朴 / 著

《中国外交史》　钱亦石 / 编著

《太平洋军事地理》　蒋震华 / 著

《世界经济地理讲话》　思慕 / 著

《列强军力论》　［德］马克斯·威纳尔著 / 宾符　仲持　梅益等译

《近代国际关系史》　张铁生 / 著

《太平洋现势手册》　沈志远　石啸冲 / 编著

《近代世界政治史》　钱亦石 / 著

《从战争到和平——一九四五年的世界政治》　乔木 / 著

《战后日本问题》　思慕 / 著

《最近一年间的国际动态（1946.7–1947.6)》　《东北日报》社 / 编

《论政党》　翟放 / 著

《法与宪法》　韩幽桐 / 编著

《中华民国宪法刍议》　罗家衡 / 著

《民主·宪法·人权——作之民》　费孝通 / 著

《宪法论初步》　潘念之 / 著

《对反民主的抗争》　韬奋 / 著

《农村改进的理论与实际》　江恒源 / 著

《上海产业与上海职工》(上下)　　朱邦兴　胡林阁　徐声 / 合编

《陶行知教育论文选辑》　　陶行知著 / 方与严编

《中国通货膨胀论》　　杨培新 / 著

《中国及其未完成的革命》　　H·普拉特著 / 蒋天佐译

《中国的建设问题与人的训练》　　卢作孚 / 著

《论中国特殊性及其他》　　艾思奇 / 著

《中国经济问题讲话》　　钱俊瑞　徐雪寒　王渔邨　姜君辰　骆耕漠 / 合著

《中国经济的道路》　　许涤新 / 著

《中国财政之病态及其批判》　　孙怀仁 / 著

《官僚资本论》　　许涤新 / 著

《五四运动之史的评价》　　陈端志 / 著

《中国通史简编》(上下)　　中国历史研究会　范文澜 / 主编

《论文学的工农兵方向——读〈在延安文艺座谈会上的讲话〉》　雪苇 / 著

《中国近代史（上编　第一分册)》　　武波 / 编著

《文学百题》　　傅东华 / 编

《中国史学之进化》　　周谷城 / 著

《论民族形式问题》　　胡风 / 著

《论批评》　　荃麟等 / 著

《中国史纲》(第一卷上下、第二卷上下)　　翦伯赞 / 著

《近代中国思想学说史》(1–4)　　侯外庐 / 著

《中国政治思想史》(上下)　　吕振羽 / 著

《中国哲学史纲要》　　向林冰 / 著

《中国政治史讲话》　　钱亦石 / 著

《中国社会经济史纲》　　王渔邨 / 著

《新财政学大纲》　　千家驹 / 著

《太平天国革命运动论文集——金田起义百周年纪念》

　华北大学历史研究室 / 编

《理性与自由——文化思想批评论文集》　　胡绳 / 著

《战斗者的诗人》　　黄药眠 / 著

《国语文法》　　曹朴 / 著

《教育哲学》　　张栗原 / 著

《妇女问题讲话》　　杜君慧 / 著

《婚姻·子女·继承》　　沙千里 / 著

《性教育新论》　　布士克　雅各生合著 / 董秋斯译

《狱中杂感》　　杜重远 / 著

《七人之狱》　　沙千里 / 著

《爱迪生传》　　伍况甫 / 译

《歌德自传》(上下)　　歌德著 / 思慕译

《尼赫鲁自传》　　[印度] 尼赫鲁著 / 毕来译

《列宁传》　　[苏] 凯尔任采夫著 / 企程　朔望译

《罗斯福总统传》　　C. Mackenzie 著 / 张尚之译

《托尔斯泰传》(1-3)　　[英] 阿尔麦·莫德著 / 徐迟译

《革命文豪高尔基》　［美］亚历山大·康恩著 / 韬奋编译

《鲁迅纪念特辑》　新中国文艺社 / 编

《回忆鲁迅先生》　萧红 / 著

《人民文豪鲁迅》　平心 / 著

《亡友鲁迅印象记》　许寿裳 / 著

《鲁迅思想研究》　何干之 / 著

《鲁迅研究》　夏征农 / 编

《过来的时代：鲁迅论及其他》　雪峰 / 著

《电影戏剧表演术》　洪深 / 著

《日常心理漫谈》　［美］约瑟夫·查斯特罗著 / 曾宝葹译

《心理常识漫话》　朱智贤　杨云美 / 著

《读书的方法与经验》　王任叔 / 著

《美国黑人生活纪实》　［美］加德维尔　斯坦倍克著 / 董秋斯译

《初访美国》　费孝通 / 著

《事业与成功》　［美］马尔腾著 / 汪原放译

《萍踪寄语（初集）》　韬奋 / 著

《一生的幸福前途——〈生活周刊〉信箱选集》　生活书店 / 编选

《深刻的印象》　生活周刊社 / 编

《海外的感受》　生活书店编译所 / 编

ISBN 978-7-108-04645-1

9 787108 046451 >

定价：15.00元